NOTA A LOS FAMILIARES

Aprender a leer es uno de los logros más importantes de la pequeña infancia. Los libros de *¡Hola, lector!* están diseñados para ayudar al niño a convertirse en un diestro lector y a gozar de la lectura. Cuando aprende a leer, el niño lo hace recordando las palabras más frecuentes como "la", "los", y "es"; reconociendo el sonido de las sílabas para descifrar nuevas palabras; e interpretando los dibujos y las pautas del texto. Estos libros le ofrecen al mismo tiempo historias entretenidas y la estructura que necesita para leer solo y de corrido. He aquí algunas sugerencias para ayudar a su niño *antes*, *durante* y *después* de leer.

Antes

• Mire los dibujos de la tapa y haga que su niño adivine de qué se trata la historia.
• Léale la historia.
• Aliéntelo para que participe con frases y palabras familiares.
• Lea la primera línea y haga que su niño la lea después de usted.

Durante

• Haga que su niño piense sobre una palabra que no reconoce inmediatamente. Ayúdelo con indicaciones como: "¿Reconoces este sonido?", "¿Ya hemos leído otras palabras como ésta?"
• Aliente a su niño a reproducir los sonidos de las letras para decir palabras nuevas.
• Cuando necesite ayuda, pronuncie usted la palabra para que no tenga que luchar mucho y que la experiencia de la lectura sea positiva.
• Aliéntelo a divertirse leyendo con mucha expresión . . . ¡como un actor!

Después

• Pídale que haga una lista con sus palabras favoritas.
• Aliéntelo a que lea una y otra vez los libros. Pídale que se los lea a sus hermanos, abuelos y hasta a sus animalitos de peluche. La lectura repetida desarrolla la confianza en los pequeños lectores.
• Hablen de las historias. Pregunte y conteste preguntas. Compartan ideas sobre los personajes y las situaciones del libro más divertidas e interesantes.

Espero que usted y su niño aprecien este libro.

—Francie Alexander
Especialista en lectura
Scholastic's Learning Ventures

A Hana, con todo cariño
—M.B. y G.B.

Mi especial agradecimiento a Paul L. Sieswerda
del Acuario de Nueva York por su asesoramiento

Originally published in English
as *SNAP! A Book About Alligators and Crocodiles*

Translated by Carmen Rosa Navarro.

ISBN-13: 978-0-439-55033-8
ISBN-10: 0-439-55033-5

Créditos por las fotografías:
Cover: Tom McHugh/Photo Researchers, Inc.; page 1: Frank Krahmer/Bruce Coleman Inc.; page 3: Tom McHugh/Photo Researchers, Inc.; pages 4-5: E. R. Degginger/Photo Researchers, Inc.; page 6: Jack Couffer/Bruce Coleman Inc.; page 7: Stephen J. Krasemann/Photo Researchers, Inc.; page 8: Alan D. Carey/Photo Researchers, Inc.; page 9: Tom & Pat Leeson/Photo Researchers, Inc.; page 11: David Austen/Stone; page 12: Robert Hermes/Photo Researchers, Inc.; page 13: Wendell Metzen/Bruce Coleman Inc.; page 14: Treat Davidson/Photo Researchers, Inc.; page 15: CC Lockwood/Photo Researchers, Inc.; page 16: Dr. Robert Potts Jr./Photo Researchers, Inc.; page 17: Wolfgang Bayer/Bruce Coleman Inc.; page 18: Nigel J. Dennis/Photo Researchers, Inc.; page 19 top: Roy Morsch/Bruce Coleman Inc.; page 19 bottom: Harold Hoffman/Photo Researchers, Inc.; page 20 top: Dr. Robert Potts Jr./Photo Researchers, Inc.; page 20 bottom: David T. Roberts/Nature's Images, Inc./Photo Researchers, Inc.; page 21: Bill Goulet/Bruce Coleman Inc.; pages 22-23: John Serrao/Photo Researchers, Inc.; page 24: James Prince/Photo Researchers, Inc.; page 25: Gary Retherford/Photo Researchers, Inc.; page 27: Charles V. Angelo/Photo Researchers, Inc.; page 28: Byron Jorjorian/Bruce Coleman Inc.; page 29: Stephen Cooper/Stone; page 30: Root/Okapia/PR/Photo Researchers, Inc.; page 32: Laura Riley/Bruce Coleman Inc.; page 33: The Purcell Team/CORBIS; pages 34-35: Larry Allan/ Bruce Coleman Inc.; page 36: Frank Krahmer/Bruce Coleman Inc.; page 37: Gary Retherford/Photo Researchers, Inc.; page 38: Jeff Foott/Bruce Coleman Inc.; page 39 top: Bill Bachman/Photo Researchers, Inc.; page 39 bottom: Mary Beth Angelo/Photo Researchers, Inc.; page 40: Fritz Polking/Bruce Coleman Inc.

12 11 10 9 8 7 6 5 4 3   8 9 10

Printed in China   23

First Spanish printing, September 2003

¡ZAS!

Un libro sobre caimanes y cocodrilos

por Melvin y Gilda Berger

¡Hola, lector de ciencias! — Nivel 3

Cartwheel
·B·O·O·K·S·®

SCHOLASTIC INC.
New York   Toronto   London   Auckland   Sydney
Mexico City   New Delhi   Hong Kong   Buenos Aires

CAPÍTULO 1
Bultos y asperezas

Un caimán gigante flota en el agua.

Casi no lo ves.

La mayor parte de su cuerpo está oculto.

Parece un leño lleno de bultos y asperezas.

Observa atentamente.

¿Ves los ojos del caimán?

Los mantiene fuera del agua para ver a

su alrededor.

Los agujeros de la nariz del caimán
también están fuera del agua.
Eso tiene una ventaja.
El caimán puede respirar y quedarse oculto debajo
del agua.

El caimán no se mueve.
Espera y vigila.
Al cabo de un rato, un pez enorme pasa junto a él.

De pronto, el caimán abre sus enormes
mandíbulas.
¡*ZAS!*
Atrapa al pez con sus dientes afilados.
El pez trata de liberarse, pero el caimán
lo sujeta firmemente.

Poco después, el pez deja de retorcerse.
El caimán juguetea con el pez entre sus
mandíbulas.
Lo coloca en posición para tragárselo.
Echa la cabeza hacia atrás y
¡el pez se desliza por su garganta!

El caimán nada a la orilla del río.

Sale lentamente del agua.

Camina con sus cuatro patas cortas, arrastrando la cola.

Supongamos que tú pasas por ahí.

Podrías pensar que el caimán es un cocodrilo porque estos animales son muy parecidos.

¿Puedes distinguir entre un caimán y un cocodrilo?

CAPÍTULO 2

Parecidos, pero diferentes

El caimán tiene el cuerpo largo, lleno de
bultos y asperezas.
El cocodrilo también.
El caimán tiene cuatro patas cortas,
dientes afilados y una cola larga y fuerte.
El cocodrilo también.

Pero los caimanes y los cocodrilos no
son exactamente iguales.
Su hocico es diferente.

El hocico del caimán es ancho y redondo.
Se parece a la letra U.
El hocico del cocodrilo termina en punta.
Es más parecido a la letra V.

Hay otra diferencia importante:
el cuarto diente de la mandíbula inferior.
Este diente en los dos animales es el
más grande, pero en el caimán cabe
dentro de la mandíbula superior y en el
cocodrilo sobresale de la mandíbula.

Por lo general, los cocodrilos son más grandes que los caimanes.

Además, nadan más velozmente y, con frecuencia, pesan más.

Quizás por eso luchan mejor.

Los caimanes y los cocodrilos suelen quedarse muy quietos hasta que aparece una presa.

Se ocultan debajo del agua y esperan a que pasen los animales que quieren comer.

Los caimanes y los cocodrilos viven en ríos, lagos y pantanos, pero los caimanes sólo habitan al sur de Estados Unidos y en China.

En cambio, los cocodrilos están dispersos por todo el mundo.

CAPÍTULO 3

Madres y crías

Es primavera.

Los caimanes y los cocodrilos empiezan a hacer sus nidos.

Construyen los nidos en la tierra, pero siempre cerca del agua.

La hembra del caimán amontona pasto, ramas y hojas con sus patas traseras.

Al cabo de un rato, forma un nido enorme.
A veces, ese nido es tan grande como una cama
matrimonial y tan alto como un niño de primer grado.
Después, se arrastra por todo el nido y lo aplasta
con el peso de su cuerpo.

El cocodrilo generalmente hace nidos más sencillos.
Simplemente cava un agujero en la arena o junta
un montón de ramas, pasto y barro.

Las hembras de caimán y de
cocodrilo ponen de 20 a 60 huevos
en el nido.
Los huevos son blancos.
Se parecen a los huevos que compras
en las tiendas, pero son más grandes.

La hembra no incuba los huevos.
El sol los calienta.
La hembra vigila para protegerlos de los
osos, zorrillos y lagartos.
Esos son algunos de los animales que suelen
comer huevos de caimán y de cocodrilo.

Cuando algún animal trata de robar los huevos, la madre ataca y generalmente espanta a los enemigos.
¡Sus mandíbulas poderosas y sus dientes afilados son aterradores!

Después de dos o tres meses, la madre oye unos ruiditos dentro de los huevos.

Eso quiere decir que las crías están a punto de salir.

Entonces la madre cava el nido para sacar los huevos y ayuda a las crías a romper los cascarones.

A veces, las crías se arrastran hasta la boca de la madre y ella los lleva cuidadosamente al agua.

Una vez allí, abre la boca y las crías salen.

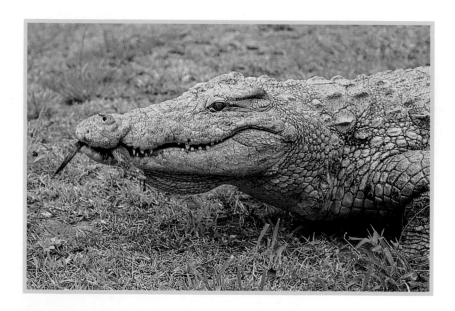

Al parecer, las hembras de los caimanes y los cocodrilos son buenas madres.

Se quedan junto a sus crías durante un año o más para protegerlas.

Cuando se acerca algún enemigo, la madre silba o ruge.

Las crías suelen cabalgar en el lomo de
su madre.

Esta deja que se sienten sobre su cabeza, pero
no las alimenta.

Las crías tienen que buscar su propio alimento.

Felizmente, las crías tienen una dentadura completa.

Sus dientes son como agujas diminutas.

Las crías los usan para atrapar peces pequeños, renacuajos, moscas, polillas y escarabajos.

Las crías de los caimanes y los cocodrilos crecen
muy rápidamente.

Algunas crecen un pie de largo al año, durante
seis años.

Si tú crecieras tan rápidamente, medirías unos
¡siete pies de altura!

CAPÍTULO 4
Día y noche

Los caimanes y los cocodrilos pasan el día
durmiendo siestas.
Unas veces, duermen dentro del agua y otras,
descansan en la orilla de los ríos.

Los caimanes y los cocodrilos se asolean.
Su piel gruesa absorbe los rayos del sol.
El sol calienta sus cuerpos.
Los caimanes y los cocodrilos son animales
de sangre fría.

Los animales de sangre fría obtienen calor de
fuentes externas.
Sin ese calor, se mueven muy lentamente.

Por eso, los caimanes y los cocodrilos viven en
climas cálidos y les gusta asolearse.
Cuando sienten mucho calor, buscan la sombra.
A veces regresan al agua.

Los caimanes y los cocodrilos buscan otros animales para alimentarse.

Esos animales se llaman presas.

Los peces, pájaros, tortugas, ranas y mapaches son las presas preferidas.

También lo son los animales grandes como los cerdos, venados, ovejas y vacas.

Supongamos que un cocodrilo descubre que un ñu está cruzando el río.

Entonces lo atrapa con sus mandíbulas.

¡ZAS!

El ñu no puede escapar.

A veces, el cocodrilo atrapa al ñu con las mandíbulas.

Lo hunde en el agua hasta que se ahoga.

Entonces lo despedaza y se traga pedazos enteros, ¡sin masticar!

Los caimanes y los cocodrilos generalmente devoran a sus presas dentro del agua.

Tienen unos pliegues de piel que evitan que les entre agua mientras comen.

Otros pliegues les cubren las orejas y los agujeros de la nariz.

Los caimanes y los cocodrilos también
tienen párpados adicionales que les protegen
los ojos como si fueran máscaras para
bucear y les permiten ver debajo del agua.

Los dientes de los caimanes y los cocodrilos son
especiales.

Los dientes de adelante son muy afilados y los
usan para atrapar y sujetar a sus presas.

Los dientes de atrás son cortos y romos.

Los usan para colocar los alimentos en posición
antes de tragárselos.

Los caimanes y los cocodrilos pierden muchos dientes.

Algunos dientes se rompen cuando atrapan a sus presas. Otros se caen cuando se desgastan.

A lo largo de su vida, los caimanes pueden perder hasta ¡3,000 dientes!

Cuando se les cae un diente, ¡les sale otro!

Los caimanes y los cocodrilos parecen lentos y perezosos, pero nadan velozmente.

Cuando persiguen una presa, pueden llegar a nadar hasta 20 millas por hora.

Esta velocidad es cinco veces mayor que la del mejor nadador humano.

En tierra sólo pueden correr hasta 10 millas por hora.

Aunque no lo creas, ¡los caimanes y los cocodrilos tienen buenos modales! Supongamos que un cocodrilo atrapa una vaca. Arranca un pedazo de carne y se aleja a nado para disfrutar de su alimento.

Luego se acercan otros cocodrilos y despedazan a la vaca.
Al rato regresa el primer cocodrilo, ¡pero espera su turno para volver a comer!

Los caimanes y los cocodrilos no comen todos los días.
Generalmente comen una vez a la semana.
Algunos pueden estar sin comer incluso dos años.
¿Cómo pueden sobrevivir sin comer durante tanto tiempo? Almacenan grandes cantidades de grasa en su cuerpo.
La mayor parte de la grasa se deposita en la cola.

Los caimanes y los cocodrilos tienen en
el estómago unas sustancias químicas que
descomponen los alimentos que comen.
Eso los ayuda a digerir lo que tragan.
¡No olvides que los caimanes y los
cocodrilos no mastican sus alimentos!

Los caimanes y los cocodrilos también
se tragan piedras pequeñas, pero no por
su buen sabor.
Las piedras los vuelven más pesados
y los ayudan a flotar justo por debajo
de la superficie del agua para no ser
vistos.

Algunos pájaros, como las garzas y los
chorlitos no corren peligro entre los cocodrilos.
Con frecuencia se posan sobre ellos y se
alimentan de los insectos pequeños que
encuentran en su piel.

Algunos chorlitos incluso se meten en la
boca de los cocodrilos y trabajan como
escarbadientes. ¡El chorlito saca los pedacitos
de alimentos que han quedado entre los
dientes del cocodrilo!
De ese modo, el chorlito se alimenta y el
cocodrilo queda con la boca limpia.

CAPÍTULO 5

Todo en familia

Los caimanes y los cocodrilos son primos.

Pertenecen a la familia de los **crocodílidos**.

A esta familia también pertenecen los **gaviales**.

Los gaviales se parecen mucho a los cocodrilos.
Viven únicamente en Asia.

Los caimanes se parecen más a los cocodrilos.

A veces se llaman aligátores.

Viven en las regiones cálidas de Norteamérica
y Sudamérica.

Los crocodílidos son una familia muy antigua.
Ya existían en la época de los dinosaurios, ¡hace
más de 200 millones de años!

En la actualidad hay dos clases de caimanes:
el caimán americano y el caimán chino.
Viven a miles de millas de distancia, pero son
muy parecidos.

El caimán americano tiene una cola enorme que
puede convertirse en un arma poderosa.
De un solo golpe puede matar al enemigo,
incluso a un ser humano.

El caimán chino es más pequeño que el caimán americano.

No hay muchos ejemplares.

Sólo quedan unos 500 en su hábitat natural.

Existen 12 clases diferentes de cocodrilos.

El cocodrilo americano vive sobre todo en Florida y en Centroamérica.

Es mucho menos común que el caimán americano.

El cocodrilo de agua salada
de Asia y Australia es el más
grande de los crocodrílidos.
En el Zoológico Nacional
de Australia había uno
que ¡pesaba más de una
tonelada!
El cocodrilo del Nilo vive en
África.

Algunos africanos lo llaman "el animal que
mata sonriendo".
En realidad, ¡los cocodrilos del Nilo atacan a un
mayor número de personas que los leones!

Los crocodílidos son criaturas sorprendentes.
Sus antepasados vivieron junto a los dinosaurios.
Los dinosaurios se extinguieron hace millones
de años, pero los crocodílidos sobreviven hasta
el día de hoy.
Esperemos que no se extingan nunca.